365 Adivinanzas

COPYRIGHT 1989 GRAFALCO, S.A.
Hecho el depósito que marca la ley
Editado por GRAFALCO, S.A.
S. Bernardo, 5 - Alcobendas (Madrid) - Tlf. 651 18 91
Telex 43229, att. 643. Apartado 50.904
Printed in Spain.
Depósito legal: M-32087-1989
I.S.B.N.: 84-7773-071-7
Fotocomposición: ORCHE (Madrid)
Impreso por GRAFALCO, S.A.

PRESENTACION

*No deja de ser curioso, pero no por ello es menos cierto.
En plena época de reinado de los juegos electrónicos, de las
computadoras y ordenadores caseros convertidos en un
juguete más, de avalancha de la imagen como primer
elemento de distracción, todavía se sigue produciendo
ese fenómeno mágico de comunicación que permite
captar inmediatamente el interés de cualquiera, niños
y grandes, al sencillo conjuro de la frase: "¿A que no
me aciertas esta adivinanza...?"
Y es que entre el acertijo y el chiste, entre el cuento
y la enseñanza, la adivinanza nunca ha dejado de ser
ese talismán capaz de hacer divertida cualquier reunión,
cualquier conversación e incluso cualquier rato de lectura
solitaria. De sus cualidades educativas y formadoras,
de sus capacidades como instrumento para agudizar
el ingenio, para mostrar el sentido de la paradoja y de la
relatividad que envuelve todo lo humano, para aprender,
en una palabra, ya se ha escrito abundantemente.
Nosotros queremos reivindicar, además de todo eso, su gran
valor como entretenimiento y diversión infantil en un tiempo*

en que carísimos y sofisticados juguetes acaban
aburriendo al cabo de unos minutos de ser utilizados.
Por eso en nuestra selección, dividida en tres niveles
según la dificultad de las adivinanzas propuestas, hemos
recogido principalmente aquellas que consideramos
más adecuadas para los niños. Sin dudar, ni por un
momento, en que también servirán de diversión y regocijo
para los mayores.

Grupo I

Facilitas, facilitas

1 Me llamo leo
me apellido pardo
quien no lo adivine
es un poco tardo.

2 Alta, alta y delgadilla
y echa humo por la coronilla.

4 Pequeña como un ratón
y guarda la casa como un león.

3 Desde el día en que nací,
corro y corro sin cesar;
corro de noche y de día
y así hasta que llego al mar.

5 Tengo cabeza de hierro
y mi cuerpo es de madera,
al que yo le piso un dedo
menudo grito que pega.

6 Te la digo, te la digo,
te la vuelvo a repetir,
te la digo veinte veces
y no la sabes decir.

7 Vuela sin alas,
silba sin boca,
pega sin manos,
y no se toca.

8 Yo tengo calor y frío
y no frío sin calor.

10 Soy un palito
muy derechito,
sobre la frente
tengo un mosquito.

9 Siempre estoy por las alturas,
blanca soy como la nieve
y cuando lloro en la tierra
ya van diciendo que llueve.

11 Soy redondo, redondo;
salgo por la mañana,
y por la tarde me escondo.

12 Va caminando
por su caminito,
no tiene alas
y va despacito.

13 Blanco por dentro,
blanco por fuera
y si te cae encima,
te hiela.

14 Soy de los que tienen garras
y una muy larga melena,
y aseguro que la carne
de explorador es muy buena.

15 Detrás de una esquina
hay una tina
llena de flores;
si eres sapiente
acierta mi nombre.

16 Agua pasa por mi casa,
cate usted que es maravilla,
me lo como en ensalada
o si no en una tortilla.

17 El soldado en la garita
y el pescado en el mar,
y en este mar y esta garita
una flor encontrarás.

20El roer es mi trabajo,
el queso mi aperitivo,
y el muy astuto del gato
es mi terrible enemigo.

18¿Qué cosa es
que cuanto más le quitas
más grande la ves?

19Uno larguito,
dos más bajitos,
otro chico y flaco,
y el otro gordazo.

21 Sí mona, sí que te quiero,
un galán aseguraba;
y a su dama así le daba,
astuto su nombre entero.

22 Tiene ojos de gato,
orejas de gato,
patas de gato,
rabo de gato, y no es gato.

23 Lana sube,
lana baja,
los ladrones
no trabajan.

24 ¿Qué cosa es?
Hace espuma,
quita las manchas
y huele muy bien.

25 Este banco está ocupado
por un padre y por un hijo,
el padre se llama Juan
y el hijo ya te lo he dicho.

26 Pérez anda,
Gil camina,
hasta un tonto
lo adivina.

27 Redondo con naricita
y nace en una plantita.

28 Soy mosquetero del mar,
de finísima estocada,
que me dedico a pescar
con mi nariz hecha espada.

29 Me traen de comer
cuando tengo hambre,
y me hacen vivir
en una casa de alambre.

30 Tul y no es de tela
pan, pero no de mesa.

31 Tengo vaina y no soy sable,
el que lo sepa, que hable.

33 Una señora muy aseñorada
que siempre va en coche
y siempre va mojada.

32 Habita, habita,
en el campo habita
y siempre habita.

34 Le dicen san día y noche
y ni es santa, ni va en coche.

35 ¿Qué planta será
que en el hombre está?

36 Si lo sabes,
responde,
cuando luce el sol,
ella se esconde.

37 Somos cinco hermanitos
que andamos siempre juntitos
y te ayudamos a agarrar
la taza y el calamar.

38 Juan y Pinchamé
se fueron a bañar;
Juan se marchó
¿quién quedó?

39 Garra, pero no de tigre,
pata, pero no de buey
¿cómo lo veis?

40 Una señora muy regordeta
nunca va vacía
y siempre "va llena".

41 Si me tiras por el suelo,
ya no hay quien me recoja,
y el que quiera sostenerme,
es seguro que se moja.

42 Salimos cuando anochece,
nos vamos cantando el gallo
y todo el mundo nos ve
cuando le pisan un callo.

43 Adivina quién soy,
adivina quién soy,
que cuanto más y más lavo
más sucia estoy.

44 Hablo y no pienso,
lloro y no siento,
río sin razón,
y miento sin intención.

45 Vela, vela, vela:
la camisa por dentro
y la carne por fuera.

46 Soy blanca como la nieve
y dulce como la miel;
sé endulzarte los pasteles
y la leche con café.

47 Es blanca como la nieve,
es negra como la pez,
habla y no tiene boca,
corre y no tiene pies.

48 A veces blanquita,
a veces negrita,
y siempre redondita.

49 Galán el enamorado,
si eres sabio y entendido,
te he dicho cual es mi nombre
y el color de mi vestido.

50 Cavan, cavan, cavan
y nunca se acaba.

51 Verde como el campo,
campo no es,
habla como el hombre
hombre no es.

52 Te digo y te repito
que si no lo adivinas
no vales un pito.

53 Es gordito
y coloradito,
no toma café,
siempre toma té.

54 Agua pasa por mi puerta,
diente de mi corazón;
el que no lo adivine
es un gran borricón.

55 Fui al monte, corté y corté;
y al llegar a mi casa me arrinconé.

56 De colores verderones,
ojos negros y saltones,
tengo las patas de atrás
muy largas para saltar.

57 Me fui al campo,
planté una estaca
y el agujero
lo traje a casa.

59 Vive en pie constantemente
con los brazos hacia fuera;
se desnuda en otoño
se viste en primavera.

58 Llevo mi casa al hombro
camino sin una pata
y voy marcando mi huella
con un hilito de plata.

60 Adivina, adivinanza,
¿cuál es el ave que pone en la paja?

62 Cartas van y cartas vienen
pasan por el mar y no se detienen.

63 Menudo, menudo
siempre yo he sido,
voy muy ligero
y por el gato
soy perseguido.

61 Alta y delgada
con la cabeza colorada.

64 Una pata con dos pies
¿sabrías qué cosa es?

65 Yo soy el amo
que manda aquí
tengo una gorra
color rubí
y al más guapo
despierto así;
¡quiquiriquí!

66 De cierto animal di el nombre:
es quien vigila la casa,
quien avisa si alguien pasa
y es fiel amigo del hombre.

67 Pi, pi, canta el pajarito,
miento y digo verdad;
por muy tonto que tú seas,
creo que me acertarás.

68 En medio de un prado blanco
hay una flor amarilla,
que se la puede comer
el mismo rey de Sevilla.

69 Mis patas largas,
mi pico largo,
y hago mi casa
en el campanario.

70 Camina con la cabeza
y no tiene pereza.

71 ¿Quién en su casita
de cristal mora
y allí ni ríe
ni canta ni llora?

72 Adivina, adivinanza,
¿cuál es el ave
que no tiene panza?

73 Alto, alto como un pino
y pesa menos que un comino.

74 Blanca por dentro,
verde por fuera;
si quieres saber mi nombre,
espera.

75 Cien damas en un camino
y no hacen polvo ni remolinos.

76 Tiene famosa memoria,
fino olfato y dura piel
y las mayores narices
que en el mundo puede haber.

77Y lo es,
y no me lo aciertas
en un mes.

78Sobre la vaca, la o,
¿que traigo yo?

79Ya ves, ya ves,
adivina lo que es.

80 Cucha es mi nombre,
ron es mi apellido
y cuando sirves la sopa
me tienes contigo.

81 Muchas damas en un agujero
y todas, todas visten de negro.

82 Dama, da, dama deja,
y aunque la des muchas vueltas
nunca se queda.

83 De día traca-traca
de noche bajo la cama.

84 Adivina quién soy, cuando voy, vengo,
y cuando vengo voy.

85 Ave que vuela,
truz que camina,
tonto será
quien no lo adivina.

86 Por la mañana lo topo
todo vestido de negro;
no es un cura, ni es un fraile,
es lo que dije primero.

87 Dos hermanas son,
pero muy diferentes
en su educación.

88 Gorda o delgada,
grande o pequeña
cuando soy de un boxeador
recibo muchísima leña.

89 Albari traigo de nombre
y coque por apellido;
y a todo el que lo adivine
le regalaré un vestido.

90 Túnica blanca tiene
y durante el invierno viene.

91 Cargadas van,
cargadas vienen,
y en el camino
no se detienen.

92 Estoy en el cielo,
también en el mar,
en algunas flores
y en el pavo real.

93 Adivina este mosqueo,
¿cómo se llama el padre
de los hijos de Cebedeo?

94 Es una planta
con una flor
que gira y gira
buscando el sol.

95 Un ojo mirando al cielo
siempre parado y redondo,
humedecido y oscuro,
con lágrimas en el fondo.

96 Sin ser blanco soy alba
y añil soy sin ser tinta.

97 Adivina y no seas vago,
¿de qué color es el caballo
blanco de Santiago?

98 En camino de hierro
siempre estoy,
por caminos de hierro
siempre voy.

99 De muchos lugares
cubro los suelos
y en bastantes cuentos
hago algún vuelo.

100 Espesa, espesa
adivíname ésa.

101 Adivina lo que es
una cosa que no se come
y se compra para comer.

103 Cuando pico soy terrible,
mi cuerpo insignificante,
pero el néctar que yo doy
os lo coméis al instante.

104 Choco con un travía
late mi corazón
y aquel que no lo adivine
es menudo borricón.

102 Negro es como un curita
y no se cansa de hacer bolitas.

105 Adivina, adivinanza,
a ver si eres listico,
y me dices sin tardanza
lo que pica más que un pico.

106 Voy por el valle
dando palmadas,
soy presumida, soy vanidosa,
me gusta y me gusta girar
¿quién soy?

107 En una sábana blanca
dos agujeros haré
que coincidan con los ojos
y así me disfrazaré.
¿Adivinas tú de qué?

108 Pequeño como una nuez
sube al monte y no tiene pies.

Grupo II

Para pensar un poco

109 Treinta y dos sillitas blancas
en un rojo comedor
y una vieja parlanchina
que se mueve sin temor.

110 A pesar de tener patas
yo no me puedo mover;
llevo a cuestas la comida
y no la puedo comer.

111 Tengo cabeza redonda
sin nariz, ojos ni frente,
y mi cuerpo se compone
tan sólo de blancos dientes.

112 ¿Qué cosa es
que cuanto más grande menos se ve?

113 Vi sentada en un balcón
a una distinguida dama,
busca en el primer renglón
y verás como se llama.

114 ¿Cuál es el animal
que es doblemente animal?

115 Adivina, adivinanza,
¿cuál es el bicho
que pica en la panza?

116 Me fui a la plaza,
compré negritos;
llegué a mi casa
y en la lumbre se pusieron
coloraditos.

117 Yo cinco hijitos tengo,
y hasta un hermano gemelo
de piel y lana por dentro.

118 Redondo, redondo,
no tiene tapa
ni tiene fondo.

119 Me ponen siempre en lo alto,
trabajo invierno y verano
y si mi dueño es un calvo
todos los días del año.

120 A veces vamos brillantes
y siempre cansados vamos;
a veces llenos de barro
porque por el suelo andamos.

121 Muy bonito por delante,
y muy feo por detrás;
me transformo a cada instante
pues imito a los demás.

122 Soy una bola grandota
que gira constantemente,
y muy pronto no sabré
dónde meter tanta gente.

123 Capa sobre capa tiene
y sobre capa un capote,
redonda, redonda es
adivina tú su nombre.

124 Dos animales lo llevan andando,
por una punta lo van arrastrando,
por donde pasan lo van destrozando
y todo el mundo se está alegrando.

125 Alcoba, alcoba
y en cada alcoba una dama.

126 De la tierra voy al cielo
y del cielo he de volver;
soy el alma de los campos,
y los hago florecer.

127 Larga como una soga,
y muerde como una loba

128 Voy y vengo
y en el camino me entretengo.

129 Soy una cosita
que anda al compás,
con las patas por delante,
y los ojos por detrás.

130 Verde nace,
verde se cría
y verde sube
el tronco de arriba.

131 Adivina esta cuestión
¿quién gasta más sombrero
de los que están en Castellón?

132 Tiene copa,
no para tomar;
tiene alas,
no para volar.

133¿De qué pesa menos,
un cántaro lleno?

134 En primavera te deleito
en verano te refresco
en otoño te alimento
en invierno te caliento.

135 Paso por el fuego
y no me quemo,
paso por el río
y no me mojo.

137 Tengo ojos y no veo
incapaz soy de llorar
pasan por mis ojos lágrimas
que van a parar al mar.

136 Una vieja con un diente
que alborota a toda la gente.

138 Cien amigos tengo
todos en una tabla
si yo no los toco
ellos no me hablan.

140 Estudiante que estudias
a la luz de. la luna,
¿qué animal tiene alas,
pero no tiene plumas?

139 No lo parezco y soy pez
y mi forna refleja
una pieza de ajedrez.

141 Ellos dicen que me quieren
para hilvanar sus jugadas,
y en cambio, cuando me tienen
se hinchan a darme patadas.

142 Yo te protejo del frío
y de los rayos del sol;
no soy guante ni sombrero
ni techo ni parasol.

143 Soy redonda, soy de goma,
soy de madera o metal,
y acostumbro ir a pares
con otras amigas iguales.

144 Redondo, redondo,
como un pandero,
y nadie se puede
sentar en ello.

145 Ando, ando sin cesar
y nunca cambio de lugar.

146 Estaba el hueso sin carne
y sin carne el hueso estaba;
estaba como te digo
y como te digo estaba.

147 Brama como el toro
y relumbra como el oro.

148 Aun sin ser nada importante,
en la vida pinta algo,
y no puede trabajar
todo aquel que sea calvo.

149 Alí y su perro Can
se fueron a tomar té
a la ciudad cuyo nombre
acabo de decirle a usted.

150 ¿Qué animalito será
que cuanto más y más come
mucho más flaco se pone?

151 ¿Cuál es de los animales aquel cuyo nombre tiene juntas las cinco vocales?

152 Dos niñas en un balcón y bailan al mismo son.

153 Es tan grande mi fortuna que estreno todos los años, un vestido sin costuras, de colores salpicados.

154 No es un artista de circo,
no es bicho de gran belleza,
solamente que camina
con los pies en la cabeza.

155 Es venta y no se vende
es Ana y no es gente.

156 Dará vueltas sin parar
si el viento le viene a animar.

157 Siempre me dicen algo,
aunque muy humilde voy,
don me llaman en el mundo,
adivíname quién soy.

158 Bailo siempre muy derecho
y cuando me empiezo a cansar,
tiemblo y me caigo al suelo,
y un niño me tiene que levantar.

159 Soy santo con nombre de flor,
y a pesar de este retrato
me confunden con el zapato.

161 Lleva anillos y no tiene dedos,
corre y no tiene pies,
¿qué es?

162 ¿Cuál es el animal
que tiene un moco delante
y un abanico detrás?

160 Tú de puntitas,
yo de talones,
tiqui, tiqui, tiqui,
por los rincones.

163 Subo llena
y bajo vacía,
si no me apuro
la sopa se enfría.

164 Soy alta y delgada,
tengo un ojo,
hago vestidos y
no me los pongo.

165 En el campo se crió,
verde como la esperanza;
de agricultores amigo,
y a las mujeres espanta.

166 Duro por arriba,
duro por abajo,
cara de serpiente
y patas de palo.

167 En el aire me mantengo,
una cuerda me mantiene
y la cola que yo tengo
la debo a quien me sostiene.

168 Adivina un animal
sin dientes y sin boca
y que sabe cantar.

169 Uso aguja, sin coser
corto sin tijeras
y ando sin pies.

171 Pasa y besa cariñoso
o nos maltrata el muy cruel
jamás le vemos el rostro
y no se vive sin él.

170 Cae de la torre
y no se mata
cae al río
y se desbarata.

174 Llevo como un payaso
de colores mi chaqueta
pero sólo me puedes ver
cuando cesa de llover.

172 Muchos soldados en fila
todos hablan por la barriga.

173 Me llaman lavandera
y no conozco el jabón.

175 Cien damas en un corral
todas lloran a la par.

176 Cierta personita
tan buena será,
que nada nos pide,
y todo nos da.

177 Con mi cara encarnada
y mi ojo negro
y mi vestido verde,
al campo alegro.

178 De joven, canoso
y de viejo, sabroso.

179 De muy lejos vengo
y muy lejos voy,
piernas no tengo
y viajero no soy.

180 Siete hijos de la dama
seis trabajan con ardor
de la noche a la mañana,
ruega el séptimo al Señor.

181 Caja llena de soldados,
todos largos y delgados,
con gorritos colorados.

182 Alta soy y muy delgada,
bien hecha, soy elegante.
Si os fijáis en algún hombre,
siempre me lleva delante.

183 Me hincho tanto, tanto,
que me desahogo en llanto.

184 En Granada hay un convento
con más de cien monjitas dentro;
todas visten de encarnado,
diez me como de un bocado.

186 En el monte fui nacido,
en el monte fui criado;
tengo nombre de señor
y nunca fui bautizado.

185 En los pies tengo dos ojos,
dos puntas en la cabeza,
y cuando voy a trabajar
los ojos me han de tapar.

187 Vasija blanca,
sin puerta ni trampa.

188 Agujerito de ratón,
que guarda la casa como un león.

189 Cien damas en un castillo,
todas visten de amarillo.

190 Una señorita
muy arrugadita,
con un palito atrás.
Pasa, tonto,
que lo acertarás.

191 Soy una loca amarrada
que sólo sirvo
para la ensalada.

192 Redondo, redondo
y no tiene fondo.

194 Siempre tuve muchos humos
y un fuelle dentro además;
llevo un loco por delante
y una motora detrás.

193 Abro mi propio camino,
por tierra no puedo andar
y cuando estoy en el agua
ando y ando sin parar.

196 Muchos soldaditos,
todos muy blanquitos,
trabajan juntitos.

197 Si te toca te molesta
y también a los demás;
si se mete en tu zapato,
no te deja caminar.

195 Llevo secretos a voces
corriendo por esos mundos,
y sin que nadie los oiga,
yo los doy en un segundo.

198 Alumbra sin ser candil,
algunas veces nos quema,
al atardecer se duerme,
por la mañana despierta.

199 Peludo por fuera
peludo por dentro
alza la pata
y métalo dentro.

200 ¿Qué será y qué será,
que junto a la puerta está
y jamás él quiere entrar?

201 ¿Quién será la desvelada,
si lo puedes discurrir,
de día y de noche acostada
sin poder nunca dormir?

202 Una cosa quinquiricosa,
que se mete en el río
y no se moja.

203 Es un gran señorón,
tiene verde sombrero
y pantalón marrón.

204 Soy un viejo arrugadito
que si me echas al agua
siempre me pongo gordito.

205 Dos arquitas de cristal
se abren y cierran sin rechistar.

206 Canto en la orilla
vivo en el agua,
y no soy pez,
ni soy cigarra.

207 Por el aire anda,
por el aire mora
y en el aire teje
una tejedora.

208 Tiene las orejas largas,
tiene la cola pequeña,
en los corrales se cría
y en el monte tiene cuevas.

209 Tiene corona y no es rey,
espuelas, y no es caballero;
y aunque trabaja en el campo
nunca gana dinero.

210 Todos pasan por mí
y yo no paso por nadie;
todos preguntan por mí
y yo no pregunto por nadie.

212 Siempre quietas,
siempre inquietas,
dormidas de día,
de noche despiertas.

211 En alto estoy,
en alto me veo;
caigo al suelo
y no me golpeo.

213 A todos, a todos llamo
y nunca de mi casa salgo.

214 Se siente contento
cuando el sol se va;
afina las alas
y empieza a cantar.

215 Si me preguntas
cómo se llama
este gran bicho,
ya te lo he dicho.

218 ¿Cuál es la flor
que es más hermosa,
de más color
y más preciosa?

216 Es algo y nada a la vez
¿sabes qué es?

217 Tengo sombra de sombrilla
y me buscan por sabrosa,
pero atención, ten cuidado
que puedo ser venenosa.

219 Dos buenas piernas tenemos
y no podemos andar,
pero el hombre sin nosotros,
no se puede presentar.

220 En el verano barbudo
en invierno desnudo.

221 Tengo dos orejas
por donde me agarran
y cuando me utilizan
el culo me queman
y la boca me tapan.

222 Barba tiene,
hombre no es;
olas hace,
mar no es.

223 ¿Me adivinas, por fortuna,
cuál es el ave sin alas ninguna?

224 Puntas alante,
anillos detrás,
¡burro con tijeras!
No acertarás.

225 Mi comadre la Pantoja
pasa el río
y no se moja.

226 Doce señoritas
en un mirador,
todas tienen medias
y zapatos no.

227 En el campo fui criada,
en el campo fui nacida,
donde quiera que yo entro
todos lloran y suspiran.

228 Hojas tengo
y no soy árbol,
lomo tengo
y no soy caballo.

229 Largo, largo como un tren,
y lo es, y lo es

230 Metida va en el baúl,
el burro la lleva a cuestas,
yo nunca la llevo puesta
y siempre la llevas tú.

231 ¿No sabes un vegetal
que, leído del revés,
resulta ser animal?

232 Nunca podrán alcanzarme,
por más que corras tras de mí,
y aunque quieras retirarte
siempre iré yo junto a ti.

233 Con remo y no soy remo
con hacha y no soy leñero,
que digas quién soy espero.

234 En invierno lo busco
y me da calor
en verano me estorba
y lo pongo en un rincón.

235 En el campo fui criada
en verde mata nacida
y sin saber escribir
todos me dicen que escriba.

237 A Pepito le han colocado
en una oficina
y dice que está allí
como pez en el agua
¿qué hace?

236 Dos hermanitos
muy igualitos
y que llegando a viejos
abren los ojitos.

241 Me usan en verano,
pero no en invierno
hago el agua fresca
en el mismo infierno.

238 Redonda como un queso
y nadie la puede dar un beso.

239 Pequeña como una almendra
y toda la casa llena.

240 ¿Qué cosa es
lo que cuando se nombra se rompe?

242¿Qué cosa es,
lo que te agarra
y no lo ves?

244 Redondito como un queso
y con cien metros de pescuezo.

243 Comienza con A
y no es ave,
sin ser ave "vuela".
¿Quién será?

245 Una señora
muy aseñorada
con muchos remiendos
y ninguna puntada.

247 Soy más alta que un gigante
pero no puedo bailar;
estoy en todas las fábricas
y no paro de fumar.

246 Millones de soldaditos
van a la guerra
y arrojan lanzas que caen
de punta sobre la tierra.

249 Está encima de la mesa
y aunque se corta y se sirve,
ni se come, ni se bebe.
Adivínalo si puedes.

248 ¿Qué es, qué no es?
Está en el jardín
y también en tus pies.

250 Con hache soy un saludo,
sin hache estoy en el mar,
si soy grande no hay ninguno
que me pueda dominar.

251 En la mesa hay una co,
en la co hay una li,
en la li hay una flor.

253 En un monte bien espeso
brama un toro sin pescuezo.

252 Aburrida está
debajo del mar;
y a ratos fabrica
bolitas no más.

254 Es arpa y no suena
es gata y no maúlla.

255 Éste era mi pensamiento,
al llegarte a preguntar,
¿qué es aquello que no duerme
y siempre tendido está?

Grupo III

Sólo para campeones

256 Adivina, adivinanza,
una cosa que sin moverse
da la vuelta a la manzana.

257 En la luna es la primera
y la segunda en Plutón.
En la tierra no se encuentra
y es la última en el sol.

258 De altas torres caí
y al caer no me rompí.

259 Es tanto mi poderío
que si mil hijos tuviera,
a cada cual su corona
le pondría en la cabeza.

260 En una casita
muy chiquitita
vive una gente
muy menudita.

261 En medio del monte
hay un cantarito
que llueva o no llueva
siempre está llenito.

262 Soy blanco como un papel
y frágil como el cristal;
todos me pueden abrir
pero ninguno cerrar.

263 Gordo lo tengo,
más lo quisiera,
que entre las piernas
no me cogiera.

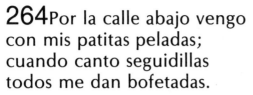

264 Por la calle abajo vengo
con mis patitas peladas;
cuando canto seguidillas
todos me dan bofetadas.

266 Mi ser por un punto empieza,
por un punto ha de acabar;
el que mi nombre acertare
sólo dirá la mitad.

265 Mi tío va,
mi tío viene,
y en el camino
se detiene.

267 Mi cama tengo en el agua,
donde muy a gusto estoy,
arón me llama la gente,
adivíname quién soy.

268 Flor blanca, mata verde;
maduro se coge y seco se vende.

269 Cuerito achicharrado
que a todo le pone cuidado.

270 Tengo cuatro patas
pero no soy animal
mis ojos brillan de noche
y con hambre no puedo andar.

271 Crece y se achica
y nadie la ve;
no es luz y se apaga,
adivina qué es.

272 De doce hermanos que somos
el segundo yo nací
y a pesar de lo que he dicho
yo soy el más pequeñín,
¿cómo puede ser así?

273 Adivina, calamar
¿quién fue el primero
que cagó en el mar?

274 Doy vueltas y no soy trompo,
un secreto sé guardar;
si no me cuidan, me pierdo.
¿Con mi nombre sabrás dar?

275 ¿Cuál es aquel animal que aunque sea macho o hembra ambos dan a luz igual?

276 Al hombre que me alimenta siempre mi abrigo le doy; poco después, muy contenta, con otro nuevo ya estoy.

277 Cuando iba, iba con ella, y cuando volví me encontré con ella. ¿Qué es?

278 Verde de joven,
marrón de vieja,
muy redondita,
soy la...

279 ¿Cuál es de los vegetales
aquél que tiene en su nombre
todas las cinco vocales?

280 Si tú me quieres comer,
me verás marrón y peludo,
y no me podrás romper
porque soy por fuera muy duro.

281 Soy la más rica del mundo
pues sin mí no habría dinero;
paso de la nada al todo,
y del buen Dios al pordiosero.

282 Cazador de perdices
apunta en las corvas
y da en las narices.

283 ¿Cuál será el ave
que come en España,
que vive en España,
que duerme en España
y no anda en España?

284 Canta, pero no es guitarrero;
tiene lanas y no es carnero.

285 Una señorita
va por el mercado
con cola verde
y traje morado.

286 En medio del cielo estoy,
sin ser lucero ni estrella,
sin ser Sol ni Luna bella.
A ver si aciertas quién soy.

287 Nadie lo ha visto en el mundo,
ni lo ha llegado a tocar,
y ha derribado más casas
que arenas tiene la mar.

288 De día morcilla
y de noche tripilla.

289 Redonda como un queso
y chilla como un conejo.

290 Por dentro es maciza,
su piel es rugosa;
unas partes con agua
y otras con roca.

291 Con sus tripas arrugadas,
soplidos da de dragón,
y oirás presto cómo gime
si le aprietas un botón.

292 No tengo nada de linda,
ni tengo nada de coja,
y entre el telar y la casa
me paso la vida toda.

293 Es mi nombre derivado
del de la fruta prohibida;
yo soy flor medicinal
y soy muy bien conocida.

294 Tiene dientes y no come,
tiene barbas, mas no es hombre,
y aunque tiene una cabeza,
ni ve, ni habla, ni piensa.

295 Verde al principio
y negro después,
molido lo ves.

297 Tiene el morro afilado,
es un veloz nadador;
alguien lo ha calificado
de hombres devorador.

296 Sois de color chocolate,
os ablandáis al calor
y si os meten en el horno,
explotáis con gran furor.

298 Viste de chaleco blanco
y también de negro frac.
Es un ave que no vuela.
Es anfibio. ¿Qué será?

300 Muchas monjitas
en un convento;
visitan las flores
y hacen dulces dentro.

301¿Qué animal es el que anda
de mañana a cuatro pies,
a mediodía con dos
y por la tarde con tres?

299 Una cajita
de buen parecer,
no hay ninguno
que lo sepa hacer.

302 El campo es blanco,
la semilla negra,
dos ojos la miran
y una mano la siembra.

303 En el puerto hay tres barquitos:
el primero, una gabarra,
el segundo, un bergantín
y el otro ya te lo he dicho.

304 No es soldado
y llega a cabo.

305 Mis dientes son afilados,
brillan cuando les da el sol;
y aunque me falta la boca,
soy un fiero comilón.

306 Para ti el papel,
para mí el pastel.

307 Una dama muy hermosa
con un vestido de oro,
siempre volviendo la cara
ya de un lado, ya de otro.

308 Un pastorcillo de palo
sube a la sierra
y baja el ganado.

309 No es de carne, ni de hueso,
aunque tiene buen pescuezo.

310 Adivina, adivinero,
cuando sale el sol
¿qué es lo que hace primero?

311 En aquel rinconcito
hay un viejito
sacándose la tripita
poquito a poquito.

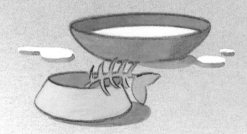

312 Mientras más cerca, más lejos,
y mientras más lejos, más cerca.

313 En una cumbre me ponen
para que el aire me dé,
sirvo de guía a los hombres
y me sostengo de pie.

314 En los troncos hace
su humilde casita
y allí esconde avara
cuanto necesita.

315 Una vieja muy revieja
que cuando orina llena las tejas.

316 ¿Qué es lo que se dice
una vez en un minuto
y dos en un momento?

317 Un buque sangriento, sangriento
lleva cien negritos dentro.

318 Una copa redonda y negra,
boca arriba está vacía
y boca abajo está llena.

320 Un bichito muy ligero
anda por tierra preciosa
y en cada asiento que hace
deja sembrada una rosa.

319 Va al monte, pero no come;
va al río, pero no bebe.
Y sólo con el cántico se mantiene.

321 Un árbol con doce ramas,
cada rama cuatro nidos,
cada nido siete pájaros,
cada cual con su apellido.

323 Tiene boca
y no come,
y en su vientre
busca el hombre.

324 Me recorro todo el mundo
y todo el mundo me aprecia;
en los palacios del rey
sin mí no ponen la mesa.

322 Soy un pescado azulado
me gusta el agua salada
me pescan en grandes redes
y soy a la plancha asada.

325¿Cuál es, cuál es la cosa
que encima de todos se posa?

326 Sombrero sobre sombrero,
sombrero de rico paño,
si no lo adivinas hoy
no lo harás en todo el año.

327¿Cuál es en animal
que al ponerse cara arriba
cambia de nombre?

328 Cien niñas de colorado
al balcón se han asomado.

329 Cinco patos
vienen y van,
con una pata
nada más.

331 Pequeña como una uña
y refunfuña.

330 En una sala cuadrada
de un palacio o convento
quien está fuera está dentro.

332 De la tierra yo nací,
conmigo el hombre es valiente,
a veces doy la salud,
a veces mato a la gente.

333 Con dos patas encorvadas
y unos amplios ventanales
quitan sol o dan visión
según sean sus cristales.

334 En blancos paños nací
y en verde me transformé,
tanto fue mi sufrimiento
que amarillo me quedé.

335 Adivina, adivinador
¿cuál es el árbol
que carga sin flor?

336 Yo vi cien damas hermosas
ponerse como una rosa,
en un momento nacieron
y en seguida perecieron.

337 Soy una altiva señora,
donde me plantan estoy,
y cuando me dan la mano
buena puñalada doy.

338 Yo sé de una campanilla
que tan despacito toca,
que no la pueden oír
no más que las mariposas.

339 Vence al tigre y al león,
vence al toro embravecido,
vence a señores y reyes
que caen a sus pies vencidos.

340 Como el mundo soy redonda,
y al final del mundo estoy;
no me busques en la tierra
pues en ella nunca voy.

341 ¿Qué cosa, cosa serán
que cuando los sueltan se quedan
y cuando los atan se van?

342 Esto que te estoy diciendo
es lo que yo te pregunto,
y te pasas de borrico
si no lo dices al punto.

344 Una mulita cargada
entra en cueva colorada
y pronto sale sin nada.

343 Blanco fue mi nacimiento,
colorada mi niñez,
y ahora que voy para vieja
soy más negra que la pez.

345 Adivina, adivinanza,
hay tres en Badalona
dos en Barcelona
y una en Gerona.

346 Un animalito
con cuatro dientes,
que nos trae comida
muy diligente.

347 Vienen dos,
uno se moja
y el otro no.

348 En la calle me toma,
en la calle me dejan;
en todas partes entro,
y de todas me echan.

351 Por el desierto
corre la fama
de que no tienes
más que un pijama.

349 Tan largo como un camino
y cabe en un pucherino.

350 Es puerto y no de mar;
es rico sin capital.

352 Adivina
adivinajera;
no tiene traje
y sí faltriquera.

353 Porque bien gordita estoy,
dos barrigas me verás;
amiga soy del viaje
y en barco me encontrarás.

354 Una señorita
muy aseñorada,
la pongo en la mesa
y nunca come nada.

355 En las manos de las damas
casi siempre estoy metido;
unas veces estirado
y otras veces encogido.

356 Alta, alta como un virote
y echa los huevos por el cogote.

357 Amarillo por fuera,
amarillo por dentro
y con un corazón al centro.

358 Ayer vinieron,
hoy han salido,
volverán mañana
con mucho ruido.

359 El agua la da,
el sol la cría;
y si el agua le da
le quita la vida.

360 Alto vive y alto mora,
en él se cree, más no se adora.

361 Es verde como el loro,
es brava como un toro
y si me pica, lloro.

362 Caen, caen,
sin parar
y no dejan
de bailar.

363 Iba por un caminito
y sin querer la hallé;
me puse a buscarla y no la encontré.

364 Bajo el puente de Cameros
hay trescientos caballeros;
han perdido sus caballos
y cantan más que los gallos.

365 ¿Cuál es de las floreales
ésa que tiene en su nombre
todas las cinco vocales?

Soluciones

WD-cho.-VARIOS-Cuentos-1